나는, 매주 비행기타고 제주 카페에 간다

나는, 매주 비행기타고 제주 카페에 간다

지은이   송현희

발 행   2024년 08월 08일
펴낸이   한건희
펴낸곳   주식회사 부크크
출판사등록   2014.07.15.(제2014-16호)
주 소   서울특별시 금천구 가산디지털1로 119 SK트윈타워 A동 305호
전 화   1670-8316
이메일   info@bookk.co.kr

ISBN   979-11-419-5329-4

www.bookk.co.kr

나는, 매주 비행기타고 제주 카페에 간다

송현희

BOOKK

차례

오늘도 제주

오늘도 제주도로. 2024년 1학기 종강을 했으니, 오늘은 제주가 아니군. 그럼에도 교육이 있어서 종강 후 3번째 제주를 찾으니 매주 간다는 것도 틀린 말은 아니다.

난 전 책에서도 제주에서의 강의 일지에 대해서 썼었는데, 이번에는 또 다른 버전인 셈이다. 간략히 난 작년 2023년 2학기 제주대학교 강의를 시작했다. 그 이야기를 책으로 출판했고 그게 마지막일 줄 알았다. 그런데 2024년 1학기 난 다시 제주대학교 강의를 한다. 사실 현실이 나를 이렇게 붙잡았다. 강사법 이후로 오히려 나에겐 강의는 많았다. 물론 지원하고 또 지원하고 100번의 지원 후 5개 대학 강의. 이렇게 된 상황이었지만 그 후에 일종의 승승장구처럼 그래도 일주일에 40시간은 강의할 수 있었다.(폐강과 시간표 겹침으로 할 수 없을 정도여도 일주일 내내 바빴다.) 하지만 올해. 난 원래 강의의 1/3 수준의 강의를 하게 되었다. 내가 정리한 학교와 계약 만료된 학교 그리고 강의시수가 줄어든 학교 또한 폐강된 학교. 정말 생각지도 못하게 강의는 줄어들었고 난 거지가 되었다. 그래서 제주대학교 강의를 놓을 수가 없었다. 어떻게 생각하면 다행이었고 이게 나의 운명이었나 보다.

하지만 생각대로 안 되는 것도 있다. 난 제목처럼 매주 제주 카페에 가려고 했다. 안개로 인해 7시 비행기가 9시로, 그리고 10시 20분에서 11시 10분까지 변경되는 상황에서 항공권 취소를 했다. 학생들에게 급히 줌으로 OT를 하겠다고 전달했다. 난 가는 게 너무나 기대되고 좋았기 때문에 집으로 돌아오는 길은 안개였다. 실제로도 안개 가득이었고 마음도 안개 가득. 나의 제주 카페 이야기는 다음에서야 가능하겠군.

하지만 인생은 내 마음대로 풀어지는 것은 아닌 것 같다. 조금은 당황스럽긴 하다. 난 계획형이라서. 그러다 보니 계획이 틀어

지면 당혹감이 아주 커지기도 한다.

그런데... 그래서, 더 멋진 것 아닌가!

원래 바뀌는 것에 대한 두려움이 있는 성격인데, 살다보니 성격이 그에 맞게 바뀌는 것 같기도 하다. 아니면 유연해지는 건가? 그래서 난 지금이 참 좋다. 체력만 좀 더 좋아지면 좋겠지만 바라다보면 한도 끝도 없지 않겠는가. 다음 주부터 본격적으로 시작될 제주 카페 투어는 종강까지 잘 이루어질 것 같다. 매번 계획한대로 그 카페에 가지 못할 때도 있겠지만, 제주는 그런 것 같다. 갑작스런 변화에 내가 더 유연하게 대처하게 하는.. 그래서 제주를 사랑한다. 이러다 다음 학기도 계속 강의를 하게 될지도...

* 이 글을 쓰는 지금. 결국 2024년 2학기도 난 제주대학교 강의는 한다. 2023년 2학기 2시간. 2024년 1학기 4시간. 2024년 2학기 6시간. 해야지. 바빠서 제주도를 볼 시간이 없어도 난 결국 제주도에 비행기타고 매 주 가는 구나...

신 난 다!!!!!

작은 여유, 친절한 카페 <카페 까사벨라>

카페의 외관. 정말 건물 전체가 카페인줄 알았다;;

3월 11일. 오늘은 무사히 제주도에 도착. 하지만 9시 수업은 무리였나 보다. 7시 청주공항에서 제주공항으로. 정말 푹 잠들었다가 8시 5분 도착하자마자 연결 셔틀타고 공항 안으로 뛰어 들어갔다. 왜냐하면 렌터카 셔틀이 8시 20분 아니면 50분이었다. 아... 다음 주도 걱정이네. 우선 수업을 끝내고 중간의 3시간을 어디에서 보낼까 하다 제주대학교 초입에 들어올 때 항상 보이던 <카페 까사벨라>에 들어갔다. 그런데... 생각과 안이 달랐다. 정말 대형카페처럼 보였지만 들어가니 2층이 사무실이고 1층은 작은 카페였다. 오래 앉아있기 신경 쓰이는 곳. 그래도 커피와 쿠키 주문한 게 있어서 바로 테이크아웃으로 바꾸고 나왔다. 아쉽다. 사장님이 너무나 친절했기 때문이다. 낯을 가리는 내 성격이 아니었다면 더 오래 있지 않았을까?

생각보다 안은 넓지 않았지만 충분히 여유롭게 시간을 보낼 수 있는 카페였다. 이번 여정의 특성상 새로운 곳을 방문하기로 했으니 이번에 다시 가지 못해도 제주대학교 강의를 계속하는 한 또 가지 않을까 싶다. 그리고 앞으로 나만의 카페 평가를 하려고 한다. 이건 정말 지극히 주관적이고, 커피는 카페 라떼만 마시는 나의 정말, 정말 주관적인 평가이다.

* 까사벨라란? 이탈리아어로, '집'을 의미하는 Casa와 '아름다운'이라는 Bella의 합성어로 '아름다운 집'이라는 뜻이다.

　(내가 의미 찾는 것을 좋아해서 카페에 물어본 것은 아니고, 그냥 찾아서 기록하는 것이니, 카페 사장님이 뜻하시는 바와 다를 수 있다. 계속 강조하겠지만 이 책은 개인적 감상이 들어간 글이기에. 오해가 없으시길...)

카페주소: 제주 제주시 제주대학로 29 1층
(내 기준: 제주대학교에서 6분 거리)

나의 아주~ 개인적 평가

외관 ★★★☆☆ (깔끔한 붉은 벽돌 건물)

내부 ★★★☆☆ (평범)

커피 ★★★★☆ (난 항상 따뜻한 라떼)

냠냠 ★★★★★ (쿠키라서 자체 만든 것은 아니지만 오케이)

특징 ★★★☆☆ (친절하심)

예술작품 같은 〈폴 바셋 제주아라DT점〉

뭔가 예술품 같은 2층에서 1층으로 내려가는 길

사실 너무 첫 카페에서 나와서 고민하다가 학교 가면서 항상 엇? <폴 바셋>이다. 소리쳤던 것이 생각나서 그 곳으로 향했다. 음~~ 주차장도 넓고 안도 넓어. 아주 좋군. 그래서 안으로 들어갔고 정말 마음에 들었다. 다만 노트북 충전기를 껴야 하는데 아.. 맞지 않는 거다. 그거 하나만 빼고 안도 밖도 마음에 들었지만 나는 이미 지쳤다. 그러니 그냥 노트북 배터리가 꺼져도 핸드폰이 있으니 괜찮지 않은가. 오늘은 여기로 만족하자. 생각하지 못한 곳의 방문이지만 참 좋긴 했다.

그리고 내 소중한 커피

   * 폴 바셋이란? 2003년 세계 바리스타 챔피언전에서 최연소 챔피언에 오른 바리스타 폴 바셋의 이름에서 유래했다고 한다.

카페주소: 제주 제주시 중앙로 393
(내 기준: 제주대학교에서 14분 거리)

나의 아주~ 개인적 평가
외관 ★★★★☆ (예술적인 외형)
내부 ★★★★☆ (멋짐)
커피 ★★★★☆ (역시나)
냠냠 아무 것도 안 먹음
특징 ★★★★☆ (다 멋지지만, 그래도 프랜차이즈라서)

나의 애착 카페 <스타벅스 서해안로DT점>

셀카는 어색하지만, 사진이 이 것뿐이네

수고했어 첫날

역시 이것이 무엇일까. 또 다른 카페로. 오후 수업 끝나고 비는 내리고 나는 지쳤고 어디로 갈까, 지원서 써야하는데.. 강의가 1/3로 줄어든 이번 학기. 나는 뭔가 더 준비하고 오히려 더 바빠져야 한다는 강박감이 있다. 벌어놓은 돈으로 버티어야 하는 이번 학기. 그래서 더 지칠 수도 있다.

그러면 오늘은 그냥 마지막을 익숙한 곳으로 가자. 그래서? <스타벅스 서해안로DT점>으로 향했다. 그런데 이제 주차비를 받네? 비가 쏟아져서 렌터카에서 내리다가 웅덩이를 밟았네. 아휴 오늘은 왜 이러니. 그래도 들어가기 좋다. 기분이다! 비 내리니 스타벅스 우산을 사자. 아싸! 좋네. 역시나 편안하게 사진도 찍고. 그리고 오늘의 마무리는 공항 화장실에서. 2024년 1학기 제주대학교 강의하며 제주 카페 투어 시작이다. 근데 웃겼던 건 비가 너무 내려서 렌터카 업체에 내려서 우산 쓰는데 우산이 양산보다 작은 거다. 다 젖음. 이게 뭘까. 하하하 그래도 좋다. 제주도니까. 여기는 진짜 너무나 자주 가서 그냥 집 앞 카페 가는 것처럼 편안하다. 그래서 나의 애착? 카페라는 별칭을 지어준 것 같다.

* 스타벅스란? 허먼 멜빌의 소설 『백경』(*Moby Dick*)에 나오는 일등 항해사 '스타벅'에서 유래했다고 추측한다고 한다.

카페주소: 제주 제주시 서해안로 624
(내 기준: 제주대학교에서 27분 거리)

나의 아주~ 개인적 평가
외관 ★★★☆☆ (외형은 다른 스타벅스와 비슷)
내부 ★★★★☆ (편하다)
커피 ★★★★★ (역시 돌체라떼는 최고)
냠냠 오늘은 건너뜀
특징 ★★★★★ (오션뷰는 진심 최고)

밀크티가 좋다면 이 곳, <카페블루하우스본점>

처음에 외관만 보고 그냥 지나쳤었다.
이름처럼 진짜 파란색 카페인줄

지난번에 새로운 카페에 도전하지 못한 것에 아쉬움이 남았다. 내 목적이 매주 제주 카페에 가는 것이었는데 역시나 익숙한 <스타벅스 서해안로DT점>으로 마무리했으니 말이다. 그래서 중간 3시간 공강에 갈 수 있는 곳을 찾았다.

열심히 찾아보니 학교에서 아라일동까지는 갈 수 있을 것 같았다. 여러 곳을 물망에 올리다가 <카페블루하우스 본점>을 찾았다. 그래서 검색하니 10분 정도 거리라니 괜찮네. 그런데 파란색 커피숍이 안 보이는 거다. 뭐지? 그런데 어? 이 건물이다. 그래서 사실 앞에 주차할 곳도 없고 머뭇거렸다. 그래도 갈까? 하지만 그냥 지나치다 금방 공용주차장을 발견했다. 음, 그러면 가자. 그래서 살랑살랑 바람을 느끼며 제주 돌담을 약간 지나 <카페블루하우스 본점>에 들어갔다. 원래부터 밀크티 전문점이라는 것을 알았기 때문에 홍콩밀크티와 러스크를 시켰다.

사람은 나 말고 한 분 계셨는데 뭐, 혼자 카페 다니는 것이 익숙하니 그러려니. 배고프고 기운 없어서 그런지 러스크를 먹는데 손이 떨리는 거다. 그러다 밀크티를 좀 쏟아서... 히잉... 그리고 배도 아프고... 아침부터 사실 너무 뛰었다. 그래서인지 진짜 5개에 1,000원하는 이 카페 특유의 스티커 사고 한 시간 정도 만에 <영어읽기> 조별과제만 채점하고 학교로 갔다.

그래도 사진은 찍었고 너무나 사랑스럽고 친근한 겸댕이도 찍고. 사실 고양이만 키우고 강아지는 어떻게 대해야할지 잘 모르겠다. 골댕아, 미안해. 바로 내 옆에 있었는데... 밀크티도 배 아파서 다 마시지도 못하고..

덩치는 크지만 귀여운 겸댕이가 옆에 있어 주었다

절치부심하고 여러 장의 사진으로 기록을 남겼다

오늘 아침부터 뛴 것이 나에게 종일 피로를 안겨주었다. 그래서 사실 오후 수업 끝나고 방문하려고 한 카페는 가지 못했다. 점심을 먹고 다녀야지. 결국 오늘도 <스타벅스 서해안로DT점>이 마무리였다. 아흐... 그래도 새로운 곳을 가봤으니 오늘 제주 카페 방문은 잘한 것 같다.

여기는 <카페블루하우스>는 본점이었다. 아라일동 6052-5. 주차는 공용주차장이 바로 근처에 있다. 그리고 서귀포점, 제주점이 있다. 다음에 한 번 가볼까 한다. 정말 홍콩 밀크티는 정말 훌륭했다.

* 블루하우스란? 2017년 홍콩에서 제주로 이주하셔서 만든 카페라 하시니, 홍콩 블루하우스가 모티브가 된 것 같다는 것이 저자의 생각입니다.

카페주소: 제주 제주시 아란1길 57
(내 기준: 제주대학교에서 10분 거리)

나의 아주~ 개인적 평가
외관 ★★★☆☆ (한 눈에 들어오지 않음)
내부 ★★★★★ (정말 깔끔한 홍콩분위기)
커피 ★★★★★ (오늘은 밀크티. 아주 훌륭)
냠냠 ★★★★★ (러스크 최고)
특징 ★★★★☆ (스티커와 강아지도 좋음)

서귀포, 크렘브륄레 맛집 <오버 더 윈도우>

건물이 특이하게 생겼다. 좁고 길다고 해야 하나

이번에는 딸과 방문한 제주도이기에 좀 더 멀리 가보기로 했다. 사실 제주대학교 내 학생이 수업을 하다 부모님께서 서귀포에서 카페를 한다고 했고 내가 꼭 가본다고 주소를 알려달라고 했다. 그러고 나서 갑작스레 2박 3일 여정으로 학교에 가게 돼서 그러면 지금 시간되니 가보자 하고 제주국제공항에 도착하자마자 렌터카를 끌고 서귀포로 향했다. 먼저 자전거를 배워본다고 대여해서 낑낑 거렸지만 아주 형편없는 운동신경에 한 시간도 안 되어 오늘은 포기를 외쳤다. 한 끼도 못 먹어서 힘이 없다 갑자기 흐리다 온갖 핑계를 댔지만 진짜 운동신경도 제로인거 같다. 반납하고 터덜거리며 밥집을 찾아서 <안거리밖거리>에서 아침 겸 점심 겸 저녁을 먹고, 카페를 찾았다. 우울했던 기분은 밥을 잘 먹고 나니 그나마 기분도 좋아지고 딸과 즐겁게 카페에 갈 수 있었다.

도착하니 약간 어두운 톤의 좁고 긴 빌딩이었다. 카페는 2층부터 3층까지 이었다. 약간 복층 구조로 2층에서 계단을 걸어서 올라가면 좀 더 넓은 3층이 나온다. 멀리이긴 하지만 바다도 보인다. 역시 우리 딸이 좋아하는 크렘브륄레와 카페라떼, 디저트로 카스테라 젤리를 시켰다. 여기에서 하이라이트가 있다. 손님 테이블로 직접 가져오셔서 크렘브륄레가 만들어지는 것을 바로 볼 수 있다는 것이다.

정말 직접 해주신 크렘브륄레 쇼?는 완전 감동이었다

건물도 가구도 모두 앤틱한 느낌이다. 오래되었지만 촌스럽지 않고 멋들어진 느낌. 아마도 사장님께서도 스타일리쉬 하셔서 그런지도 모르겠다. 왠지 유럽의 한 카페에 들어가 있는 듯 한 느낌이 들 정도였으니까. 영수증 리뷰를 하면 귀여운 여행용 손톱깎이도 주신다. 아주 이득! 학생 아버지 카페이기도 했지만 특별함이 느껴진 곳이었다.

   * 오버 더 윈도우란? '창 너머로'란 뜻이며, 의미 그대로인 듯하다. 이곳은 미국의 레스토랑 구르에서 2023년 서귀포 베스트 커피하우스로 선정된 곳이다.

카페주소: 제주 서귀포시 태평로 379-1 2-3층

(내 기준: 제주대학교에서 1시간 거리)

나의 아주~ 개인적 평가

외관 ★★★☆☆ (밤이라 눈에 잘 안 보임)

내부 ★★★★☆ (올드, 클래식)

커피 ★★★★★ (아주 향이 좋음)

냠냠 ★★★★★ (맛나, 아주)

특징 ★★★★★ (직접 시연해주는 감동)

지브리의 팬이라면 필수 〈코리코 카페〉

나, 지브리야. 제주에 있지! 이런 느낌이다.

제주도에 딸과 온 다음날은 내 강의가 있는 날이다. 학교에서 숙소가 멀지 않아서 오전에는 딸에게 그냥 자라고 했다. 11시에 숙소 앞에서 준비하고 엄마를 기다리라고 했더니 문을 못 잠가서 방에 갇혀 있는 딸내미. 웃으며 올라가서 문 잠그고 구좌로 향했다. 사실 계획하고 온 것이 아니어서, 어디 갈까 전날에도 고민하다가 나중에 중간고사 때 가려고 했던 동쪽동화송당마을에 새로 생긴 지브리의 사랑스런 <도토리숲>과 <코리코 카페>에 가기로 했다. 비가 너무나 쏟아져서 우산을 살까 하다가 그냥 비 맞으며 들어간 <도토리숲>은 용산에서의 기억을 떠올려 보니, 생각보다 내부에 물건들이 많이 없었다. 음, 오히려 서울이 작아도 상품들이 꽉꽉 차 있어서 볼거리가 더 많았던 것 같다. 아직 오픈한지 한 달도 안 되었으니 더 늘어나겠지. 그리고 바로 옆쪽에 위치한 <코리코 카페>. 난 정말 마녀배달부 티 세트를 사고 싶었지만... (하지만 너무나 아쉬움이 남았다. 다음에는 꼭 사리라) 우선은 그냥 푸드와 커피로 만족하기로 했다.

카페의 분위기는 정말 마음에 들었다. 진심 지브리의 팬이라면, <마녀배달부 키키>의 팬이라면 여기는 꼭 찾아야 하는 곳 같다. 비를 억수같이 맞았지만 그건 문제가 되지 않았다. 제주 구좌 송당동화마을에 갈 기회가 있는 분들에게 추천한다.

외관부터 신비롭고 들어가고 싶게 생긴 곳

누군가 말할 수도 있겠다. 그 돈에 거기를? 그런데 누구나에게 좋아하는 것은 있는 법이다. 완전히 빠져든 내가 아니어도 행복하게 구경할 수 있고 먹을 수 있으니까. 그러면 되지 않은가. 그래서 가볼만한 곳이다. 마녀배달부 키키 티 세트, 꼭 사리라.

정말 눈앞에 아른거리는 굿즈들

* 코리코란? 지브리 애니메이션 <마녀배달부 키키>에서 마녀 키키가 미션 수행을 위해 선택한 마을 이름입니다. 정말 아름다운 곳!

카페주소: 제주 제주시 구좌읍 비자림로 1199
(내 기준: 제주대학교에서 27분 거리)

나의 아주~ 개인적 평가

외관 ★★★★★ (동화 속 오두막 같아)

내부 ★★★★★ (진짜 지브리)

커피 ★★★★☆ (큰 특징은 없음)

냠냠 ★★★★★ (바나나 피칸 캐러멜 팬케이크 맛나)

특징 ★★★★★ (지브리는 역시)

자연과 벗하는 곳 〈할리스 제주연북로DI점〉

하루방과 한라봉 마카롱, 귀여워서 샀다

특별 메뉴였는지 그 다음에 여러 번 가도 이건 없었다

벚꽃이 만개한 제주도. 4월 1일 오늘은 지난 주 폭우가 거짓말처럼 한껏 봄내음이 풍기는 하루다. 그래서일까. 제주대학교 벚꽃길이 유명해서인가보다. 분명 6시 비행기라 일찍 도착하고 7시 50분 렌터카 셔틀 타고 가서 렌터카 찾아서 학교에 갔는데... 분명 8시 45분 도착이라고 했는데 학교에는 9시 5분에 도착했다. 벚꽃의 향연과 선거의 열정으로 가득 찬 도로 때문이었던 것 같다. 뭐, 이것도 한 때겠지만 내 수업 늦는 게 싫으니까. 부랴부랴 수업에 들어가고 열정적인 강의를 끝낸 뒤 오늘은 어디? 원래는 다른 곳을 가려했으나, 또 알레르기가 올라오고 일 좀 정리해야 해서 지난주에 왔던 <할리스 제주연북로DI[1]점>에 왔다.

딸과 함께 했던 첫 번째 방문 때는 비가 너무나 내려서 제대로 보지도 못했는데, 오늘은 정말 봄날이다. 예쁘다. 주변에 큰 건물이 없고 여기가 제주 속 자연이구나를 실감하게 하는 곳이다. 오늘은 혼자이기도 했고 배도 고프기도 하고 블루베리 베이글과 카페 라떼를 시켰다. 오는 길에 벚꽃을 하도 봐서 초록색으로 가득한 이 공간이 오히려 힐링이 된다.

차가 없으면 오기 힘든 곳 같지만 양 옆으로 교통량도 많고 버스로도 가능할 것 같다. 제주대학교까지 왕복 35분 정도의 거

---

1) 카페에서 DT점은 drive through를 의미하고, DI점은 drive in을 의미한다.

리. 넓기도 하고 오늘은 사람도 없어서 더 좋다. 다만 다음에는 다른 카페도 가야하니 이번 학기는 오늘이 마지막으로 방문하는 날이 될 듯하다. (허나 그 다음에도 또 갔다. 편해져서 그런가 보다) 어느 공간이든, 예술 작품 같고 할리스 커피가 더욱 매력적으로 보이게 하는 매직이 있었다. 그래서 일까, 매번 갈 때마다 또 다른 모습으로 끌어당기는 힘이 있었다. 그래서 또 갔다.

여유롭게 즐기기 참 좋은 곳이다

 * 할리스란? 'holly'에서 나왔으며, '신성한, 품격 있는 커피 공간'이라는 뜻을 담고 있다고 합니다.

카페주소: 제주 제주시 오남로 166
(내 기준: 제주대학교에서 19분 거리)

나의 아주~ 개인적 평가
외관 ★★★★★ (진짜 미술관 같음)
내부 ★★★★★ (자연친화적 내부)
커피 ★★★★★ (참 맛나)
냠냠 ★★★☆☆ (마카롱을 안 좋아함)
특징 ★★★★★ (정말 숲 속 미술관 같아, 힐링)

소금빵과 라떼 아트가 돋보여
<유동커피 소금공장점>

직접 해주시는 라떼아트를 감탄하며 지켜봤다

만우절 오후 수업을 끝내고 어디를 갈까 많이 고민하다가 결정한 곳. 사실 주차하면서 외관을 봤는데, 엇 들어가야 하나? 고민을 조금 했다. 하지만 주차를 하고 나서 이왕 왔으니 들어가자 싶어서 들어왔다. 생각보다 외관보다 내부는 마음에 들었고 역시나 배가 고프기도 해서 언능 들어갔다. 소금빵과 크루와상 등 여기 특유의 메뉴들이 있었다. 역시나 나는 카페라떼니까 소금빵과 먹으면 되겠다 하고 주문을 했다.

그런데 벨이 울려서 가니 소금빵만 있는 거다. 뭐지? 했는데 라떼는 가져다준단다. 그런데 테이블에서 라떼 아트를 바로 보여주는 거다. 지난 주 서귀포 <오버 더 윈도우>의 크렘브릴레 시연처럼 감동이었다. 소금빵은 너무나 맛있었다. 내가 워낙 좋아하기도 했는데 여기는 딱 적절한 기름기와 버터가 가미되어 너무나 맛있었다. 배가 고픈 이유도 한몫했겠지만 행복하게 마시고 주변을 둘러보기도 하고 마음에 쏘옥 들었다.

여유가 생기니 엄마와 통화도 하고 여유롭게 제주대학교 수업 논문도 쓰고 이렇게 글도 쓰고 있다. 다음에 또 오면 예린이는 크루와상을 먹을 것 같다. 나와 딸은 빵을 좋아하는 것은 똑같지만 좋아하는 빵 종류는 현저하게 다르다. 그러면 어떠하리. 너무나 맛나게 먹을 것이 눈에 보이니 딸이 보고 싶다.

안팎이 모두 감각적이라
뭔가 내가 아트적이 된 거 같아서 좋았다

　실내 공간은 넓지는 않은데 원래 소금공장이었다는 특징을 너무나 잘 살린 것 같다. 특유의 느낌이 있어서 마음이 편하고 음악도 이 공간과 너무나 잘 어울리기에 왠지 들썩 들썩 해야 할 것 같아서 좋기도 했다.

* 유동커피란? 조유동 대표의 이름으로, 독일 전자동 커피머신 브랜드 WMF 모델을 하실 정도로 아트적인 이미지를 갖고 계신다.

카페주소: 제주 제주시 용마서1길 30
(내 기준: 제주대학교에서 27분 거리)

나의 아주~ 개인적 평가
외관 ★★★★★ (원래 공간을 잘 살려서)
내부 ★★★★★ (뭔가 옛스러워)
커피 ★★★★★ (라떼 아트로 맛이 더)
냠냠 ★★★★★ (정말 소문대로 소금빵)
특징 ★★★★★ (색다른 카페를 원한다면)

하르방샌드가 반겨주는 곳 <오늘제주>

하르방샌드가 예쁘게 기다리고 있다

사지 않을 수가 없다

오전 강의를 하고 나면 뭔가 멍해진다. 바다를 보고 싶은데 제주대학교에서는 바다가 조금 거리가 있고 오후 강의도 있으니 중간에 갈 수 있는 곳이 근처 카페이다. 그래서 이렇게 제주 카페 글을 쓰고 있는지도 모른다. 오늘도 어디를 가야할까 하다가 학교에서 아라동말고도 오라동도 가까운 것을 알고 검색을 했다.

그래서 보니 오라이동에 위치한 <오늘제주> 카페가 있었다. 음, 선물세트인가? 그러면 가보자. 대형 카페가 아니면 오래 있지 못하는 나이기에 도착해서 보니, 역시나 사람이 많이 있을 곳은 아니었다. 딱 선물용으로 적합한 곳. 사실 맛이 아주 훌륭하다고는 할 수 없다. 아니 맛이 없다는 것은 아니다. 그럼에도 맛있어서 간다고는 할 수 없고 선물용으로 완벽한 세트가 있는 곳은 분명하다.

너무나 예뻐서 사게 되는 마법? 빵이 구워지는 바로 옆에 앉아 있어서 그런가? 벌써 냄새부터 홀린다. 하지만 카페를 너무나 잘 가는 나에게 새로운 맛은 아니었다. 그럼에도 매력은 가득하다. 이 하르방샌드 외에도 선물할 수 있는 세트가 또 있으니, 제주가 관광지로서의 매력을 발휘하는 것이 아닌가 싶다.

항상 나는 안다
사진을 그리 잘 찍지 못한다

사진을 잘 찍는 사람들이나 내 딸이 보면 어휴, 이런 이야기가 나오는 사진이겠지만 어쩌면 더 정확하게 보여주는 것일지도 모른다. 외관은 아주 깔끔하다. 그리고 사실 샌드가 구워지는 옆에 앉아 있어서 그런지도 모르겠지만 빵이 바로 구워지는 그 빵향기가 아주 좋다. 그럼에도 나는 일찍 일어난다. 나 말고 있던 손님이 금세 나가버렸다. 음, 그러면 나도 가야지. 아직 수업은 2시간이나 남았는데... 역시나 스타벅스로 가야겠다. 그러자.

실내는 아주 깔끔하다. 제주인데 제주가 아닌 듯한

* 오늘제주란? 음, 이건 따로 뜻은 없는 것 같다. 오늘도 이 카페로 오라는 건가? 여쭤보지 않아서 모르겠어요... (그럴 수도 있지요)

카페주소: 제주 제주시 아연로 235-2 1층
(내 기준: 제주대학교에서 10분 거리)

나의 아주~ 개인적 평가
외관 ★★★☆☆ (그냥 가정집 같다)
내부 ★★★★☆ (모던함)
커피 ★★★☆☆ (보통)
냠냠 ★★★★★ (선물용으로 최고)
특징 ★★★★★ (제주에 딱 맞는 컨셉)

조용하게 쉬어갈 수 있는 곳 <카페 콤마>

입구가 한 눈에 들어올 정도로 예쁘다

작년 제주대학교 강의할 때는 오픈하지 않았던 곳이다. 올해 다시 제주대학교 강의하며 눈에 띤 곳이다. 이 카페는 제주대학교 들어가는 네거리에 있어서 신호가 걸리면 항상 지켜볼 수밖에 없는 곳이었다. 들어가는 입구에 있는 노란색이 확 눈에 들어왔으니까. 그래서 언젠가는 방문해야 겠다 하다가 오늘 방문하게 되었다. 주차장은 꽤 넓고 차도 많았다. 하지만 들어가니 그 차들은 카페에 가기 위해 주차한 차들이 아니었다. 왜냐하면 들어가니 나 혼자였으니까. 10시에 오픈하는데 10시 50분 도착한 난 혼자였다. 생각보다 좁은 공간에 라떼와 소금빵을 시키고 깨작거리다 커피를 테이크아웃하고 나왔다.

카페가 싫어서가 아니라 카페 사장님과 너무나 가까운 거리에 익숙하지 않은 강아지가 있어서 어찌 해야 할지 모르겠는 거다. 고양이만 키우다보니 강아지를 어떻게 대해야 할지 잘 모르겠다. 그리고 주문할 때 강아지를 만지지 말라고 쓰여 있기도 하고 내가 아는 척을 해야 하는지 말아야 하는지 참 고민되는 가까운 거리가 밖을 바라보며 앉아 있는데 힘들었다. 사실 크기에 당황해서 앞마당에도 나가봤다. 반려동물 동반카페라서 공간이 있는 것 같은데 큰 개들은 돌아다니기 애매하긴 했다.

공간이 내가 여기서 살았으면 하는 느낌 이었다

공간적으로 내가 좋아하는 톤이었다. 만약 누군가와 같이 갔더라면 편안하게 커피 마시면서 즐기다 왔을 것이다. 역시 난 넓고 사람이 많아서 그 안에서 혼자서 편안함을 느끼는 성격이라, 감당하기 어려웠다. 그럼에도 앞마당의 제주스러운 돌에 1층에서 내려가는 구조가 참 마음에 들었다. 분위기 때문에 다음에 딸이 제주에 온다면 함께 가보고 싶다. 학교 근처이기도 하고.

커피와 소금빵 데코가 예뻐서 기분 좋았다

* 콤마란? 원래 뜻대로, '쉼표'라는 의미인 것 같다. 이 카페에서 쉬다가 가세요 이런 의미이지 않을까 싶다.

카페주소: 제주 제주시 용마서1길 30
(내 기준: 제주대학교에서 5분 거리)

나의 아주~ 개인적 평가
외관 ★★★★★ (모던하지만 다른 곳과 큰 차이가 없어서)
내부 ★★★★★ (이것도 같은 이유)
커피 ★★★★☆ (역시 돌체라떼는 최고)
냠냠 ★★★★☆ (서비스 쿠키에 반함)
특징 ★★★★★ (내가 꿈꾸던 전원)

제주 용담, 바다가 펼쳐지는 곳
<폴 바셋 제주 용담 DT점>

날이 흐려도 오션 뷰가 정말 멋지다

오전 강의를 하고 나면 뭔가 멍해진다. 바다를 보고 싶은데 제주대학교에서는 바다가 조금 거리가 있고 오후 강의도 있고 하고, 또 비가 내린다. 2024년 봄, 난 매주 제주도에서 비와 함께한다. 그래도 오후엔 좀 개긴 했지만 이놈의 비... 그래도 낭만은 있다지만...

그래도 예전에 한 번 잠깐 들린 적이 있었는데 <폴 바셋 제주 용담DT점>으로 갔다. 역시 바다가 펼쳐지는 이곳은 정말 너무나 멋졌다. 제주공항에서 가까워서 그런지 식당이 많아서 그런지, 아마도 바다가 화악 펼쳐져서 그런 것 같기도 한데 사람들도 많다. 폴 바셋은 커피가 맛나기도 하니까 이곳은 정말 다음에도 또 찾을 것 같다. 프랜차이즈 커피숍의 특징은 사람들의 시선을 거의 구애받지 않고 오래 앉아 있을 수 있다는 것이다. 물론 난 오래 앉아 있을 때는 커피만 시키지 않고 이것저것 많이 시킨다. 브레드는 포장해오면 되니까.

날이 좀 맑아지니 나도 기분 좋게 사진 찍고 제주대 조별채점 하면서 있다가 렌터카 반납하러 갔다. 유독 가족단위로 많이 와 있었다. 그러니 더욱 내 가족이 생각났다. 생각보다 애교도 없고 겉으로 드러내놓고 챙기기 어색해하는 성격이라 힘들긴 하지만 표현해보려고 노력해야겠다. 가족은 쉽게 생각하고 결정하는 것이 아니고, 괜히 형성되는 것이 아니니까. 좀 더 노력해보자. 역시 날씨는 흐려도 사람이 마음먹기에 따라 흐린 속에 밝은 면모를 찾는 것 같다.

폴 바셋의 인테리어는 다른 곳도 동일한 것 같다. 제주대학교 근처 폴 바셋도 이런 인테리어였으니까. 그래서 그런지 가면 편안하다 마치 스타벅스처럼 말이다. 그래도 다음에는 다른 폴 바셋을 가봐야지.

제주의 폴 바셋은 다 비슷한 느낌으로, 멋지다

* 폴 바셋은 앞에서 이미 설명

카페주소: 제주 제주시 서해안로 442-1
(내 기준: 제주대학교에서 31분 거리)

나의 아주~ 개인적 평가
외관 ★★★★★ (폴 바셋은 전체적으로 멋있다)
내부 ★★★★★ (내부도 좋고)
커피 ★★★★★ (커피 맛도 좋고)
냠냠 오늘은 건너뜀
특징 ★★★★★ (제주의 바다와 건물의 조화)

고양이가 있는 대형 카페 〈피커스 제주〉

대형카페인데 겉모습은 내 취향이 아니다

역시나 오전강의 끝나고 어디에 가있을까 고민을 했다. 다음 주는 5월 6일 휴일이니 <피커스 제주>2)로 결정했다. 왜냐면 우연히 들어갔다가 5월 6일부터 공사로 임시휴업이라고 쓰여 있어서 말이다. 그래서 운명은 아니지만 여기를 우선 방문하자 하고 오전 강의 끝나자마자 왔다. 그런데... 겉모습은 내 취향이 아니었다. 게다가 1층은 롤러스케이트장이라는데 공사 중이라 어디로 카페를 올라가야하는지 한참을 방황했다. 그래도 들어가기 전 영업 중이라고 쓰여 있었고 개냥이 한 마리가 있어서 한참을 쓰다듬어주다가 조심스레 다시 살폈더니 한 분이 1층 중앙계단으로 올라가면 된다고 하셨다.

들어가니 규모가 컸지만, 내 기준으로는 허전했다. 베이커리 종류도 많지 않고 뷰도 그렇게 눈에 띄는 것은 아니었다. 예전에 가봤던 <애월빵공장>과 샌드세트는 연결이 되는 것 같았다. 하지만 제주에서 원가 샌드를 많이 사서 그렇게 새롭지 않았다. 아마도 카페를 많이 가서 그런가보다. 다시 꼭 와야지 그런 생각은 들지 않았다. 다만 전체적으로 공사 중이라 어수선한 건 사실이고, 1층은 롤러스케이트장에 옆쪽으로 식당도 있으니 다 정리되면 다시 올만 하겠다.

---

2) 현재는 공사가 다 끝나서, 롤러장도 운영하고 전시도 하고 있다. 2024년 7월 12일 <하리보 해피월드>로 오픈했다 하니 다시 가보려 한다.

입구부터 개냥이들의 집합소. 귀여워라

하지만 내가 다시 온다라면 그 이유는 바로 위의 고양이들 때문일 꺼다. 정문에도 있던 고양이가 위로 올라오니 베란다 쪽에 4마리나 더 있었다. 게다가 모두 개냥이라 나를 보자마자 모두 달려왔다. 손이 두 개라 두 마리 궁디팡팡에 쓰담쓰담해주고 또 번갈아서 해주다가 비 내린 후 젖어있던 땅에 내 롱스커트가 다 젖어서 한참동안 말려야했다. 그럼에도 너무나 예쁜 아이들이라 내가 여기를 다시 온다면 분명 고양이들 때문일 것이다.

베이커리도 좋았지만, 역시나 고양이들이 생각난다

　베이커리 종류는 생각보다 많지 않았지만 어느 정도의 특색은 있었다. 크림 들어있던 호떡 모양의 빵도 괜찮았고 레몬마들렌과 귤 마카롱은 선물용으로 좋은 것 같았다. 역시나 빵도 조금만 먹었지만 아마 저녁에 공항 내에서 먹을 수 있을 것 같다. 마들렌과 마카롱은 딸에게 선물로 줘야지.

　역시나 나에겐 고양이구나. 정말 개냥이 아이들. 또 보고 싶네. 다음에 가게 되면 너희들 때문이니까 그 때 보자.

   * 피커스란? 영어 'Pick us'란 뜻이다. 단순한데 오히려 단순해서 인상 깊긴 하다.

카페주소: 제주 제주시 아연로 444-1 2층

(내 기준: 제주대학교에서 12분 거리)

나의 아주~ 개인적 평가

외관 ★★★☆☆ (너무 커서 부담스럽다)

내부 ★★★☆☆ (넓긴 한데 그렇게는)

커피 ★★★★☆ (딱 내 취향은 아님)

냠냠 ★★★★★ (특이한 재질이 좋았음)

특징 ★★★★★ (역시 고양이들이 있으면 최고)

진짜 제대로 된 오션뷰 <듀포레>

정말 안에서 본 뷰는 최고이지 않을까 싶다

검색하면 하도 뜨는 곳이라서, 그래 오늘은 오션뷰를 제대로 즐기자 하고 왔다. 하지만 네비를 찍고 도착하고 겉모습을 보고, 음 그냥 갈까? 이런 생각이 들었다. 하지만 이왕 왔으니 들어가자 하고 주차를 한 후 문 쪽으로 간 순간 딱 보이는 바다는! 와우! 들어가야지! 이었다. 게다가 4월 내내 월요일마다 비가 내려서 제대로 된 뷰를 보지 못했었는데, 5월 첫 주 연휴로 못 오고 둘째 주 내려온 제주에서 정말 멋진 뷰를 보게 돼서 행복할 따름이다. 다른 관광객들도 그러지 않을까?

오히려 깔끔한 실내가 바다와 어우러지는 것 같다

어떻게 찍어도 바다는 멋지게 보이는 곳이다

사실 나에게 메뉴가 특별한 것은 아니다. 워낙 카페를 많이 가
니까 소금빵도 마카다미아 쿠키도 평범하다. 물론 이 곳의 시그
니처인 카이막세트와 카이막 크림 소보로, 카이막 팡도르를 먹어
보지 못해서 그런 거 아니냐. 이럴 수 있지만, 난 정말 맛있는
카이막을 다 먹어 본 상태가 그렇게 맛이 뛰어날 것 같지는 않
다. 하지만 이곳에서 먹어보지 않았기 때문에 폄하하는 것은 아
니다. 그럼에도 불구하고 이곳의 뷰를 보며 먹는다면 천상의 맛
일 것이다.

날씨가 좋으니 어디에서 찍어도 그냥 환하고 좋다. 다른 것을 다 제하더라도 이 오션뷰는 이제까지 중에서 최고였던 것 같다. 물론 용문해안도로에 있는 모든 카페에 지금 들어가면 똑같은 기분일 수도 있다. 제주바다는 어디든지 환상이지 않은가?

하지만 이렇게 바로 앞인 곳은 내가 가본 곳 중에서 <앙투아네트> 카페 말고 <듀포레> 이 곳 말고는 없는 것 같다. 내가 경험한 카페 중에서 말이다. 어떤 곳은 오션뷰 하면 멀리에서 보여도 오션 뷰다 라고 이야기를 하는데, 이곳은 건물은 별로여도 전체적으로 보이는 바다는 정말 "헉" 소리가 나올 정도로 멋있었다.

* 듀포레란? 프랑스어로 '단맛이 나는' 뜻을 가진 'DOUX'와 '숲'이란 뜻을 가진 'FORET'가 합해져 '달콤한 숲'이라는 뜻이란다. 심볼은 부엉이던데 그건 그냥 상징? 그런데 귀엽다.

카페주소: 제주 제주시 서해안로 579
(내 기준: 제주대학교에서 29분 거리)

나의 아주~ 개인적 평가
외관 ★★★☆☆ (그냥 회색 건물)
내부 ★★★★☆ (뭐 그렇게 특별하지는 않음)
커피 ★★★☆☆ (커피 맛도 뭐)
냠냠 ★★★☆☆ (베이커리도 뭐)
특징 ★★★★★ (외관에 실망이 있어서 그런지 오션뷰에 감동)

제주스러운 디저트가 가득한 곳 <휴즐리 제주>

역시 딸이 있으니 사진도 살아난다

딸과 함께 온 제주는 역시 다르다. 더 멀리, 더 다양하게 다닐 수 있으니까. 사실 다른 곳이 가려다 딸이 여기 메뉴를 보더니 여기로 가야겠다고 해서 온 곳이다. 혼자서는 이 메뉴들 중 먹을 수 있는 것이 없었다. 그래서 같이 왔는데... 와 관광객이 너무나 많았다. 무엇보다 주요 메뉴들은 다 없었고, 2층도 자리가 없었다. 먹을 수 있는 메뉴는 아이스크림 한 종류뿐이라 그것만 하나 사서 밖으로 나왔다.

바다가 바로 앞이니 그림일세

이 메뉴들이 품절이라 모형이다
2층도 만석이라 크로아상도 못 먹고

사진 잘 찍는 딸 덕분에 아이스크림이 더 맛있어 보이지만, 음, 아이스크림 맛이다. 제주도는 항상 이 지역의 특산물을 모든 음식에 넣는다. 그건 당연히 좋은 거다. 하지만 제주도 여러 곳을 방문하는 나에게 특별함이라고 하기는 어려웠다. 그럼에도 진짜 많은 관광객들 덕분에? 먹고 싶었던 메뉴를 못 먹으니 아쉬움이 가득했다. 그 메뉴를 먹어봤다면 내 생각이 달라지지 않았을까 싶기도 한다. 아쉽다, 아쉬워. 이러면 다시 갈 수 있을까? 흐음, 혼자서는 무리이지 않을까 싶다.

　다양한 메뉴가 가득하고, 밖에서는 인증샷을 열심히 찍어대는데, 아쉽긴 했다. 그렇다고 다음에 또 가기는 좀 그럴 것 같다. 혼자서는 절대 먹을 수 없는 양에, 아이스크림 종류도 혼자 먹기에는 어려워서. 아쉽지만 가봤으니 된 거다. 사진들을 보니 내가 아쉬움이 남긴 남나보다. 그래도 그래, 다시! 한번 다짐한다. 가봤으니 된 거지.

* 휴즐리란? 영어단어 'hugely'(엄청나, 극도로, 아주)라는 의미이다. <휴즐리 제주>니까 '아주 제주'구나.

카페주소: 제주 제주시 홍운길 83
(내 기준: 제주대학교에서 28분 거리)

나의 아주~ 개인적 평가
외관 ★★★☆☆ (외관은...)
내부 ★★★☆☆ (평범하다)
커피 오늘은 패스
냠냠 ★★★★☆ (메인을 먹지 못해서)
특징 ★★★★★ (확실히 눈에 띄는 디저트들)

성산, 아기자기함이 가득한 브런치카페
<난산리 다방>

동네에 있는 깔끔하고 아기자기한 느낌의 예쁜 카페

간판과 화장실 공간에서 아, 이곳이 카페만 하는 것이 아니구나 싶었다

　서귀포 숙소로 들어가기 전 어느 카페로 들어갈까 고민을 했다. 브런치 메뉴가 있으면 좋겠다 싶어서 검색했는데 예전에 성산 <여름정원>과 비슷한 분위기라 선택을 했다. 도착하니, 느낌도 비슷했다. 안의 메뉴는 무엇이 있을까 설레임을 가득 안고 들어갔다. 겉은 깔끔한 주택으로 보이기도 했는데 실내로 들어가니 좀 더 오두막 같은 모습으로 아득했다. 신기해서 주변을 두리번거리기도 했다.

사실 처음에 딸과 메뉴를 보고 조금 당황을 했다. 생각보다 메뉴가 많지 않았고 그래도 무언가를 시켜야 하니 많이 고민하다 주문을 했다. 그리고 시킨 브런치는 나에게 크게 특별하지는 않았다. 항상 이야기하지만 나는 카페를 너무 다니기 때문에 많은 것을 보아서 그런지 색다르지 않으면 큰 감동을 하는 것 같지 않다. 무언가 큰 기대를 하면 실망을 하게 되는 것처럼 여기도 너무나 큰 기대를 했는지 모른다.

하지만 제주 성산만의 특징이 있고 복합 예술 공간처럼 사진관도 있고 또 약간 가로질러서 레스토랑 느낌의 식당도 있고. 한 번에 여러 가지를 새롭게 경험할 수 있다는 점은 좋은 것 같았다. 이곳이 만들어지는 과정과 여러 프로젝트를 보여주는 영상도 좋았고.

뭔가 귀여워서 사진에 담아보았다

* 난산리다방이란? 여행작가 겸 사진작가 김병준님이 완성한 공간으로, 조아가지구 사진관도 같이 운영하고 있는 난산리의 카페이다.

카페주소: 제주 서귀포시 난산로41번길 39-2
(내 기준: 제주대학교에서 45분 거리)

나의 아주~ 개인적 평가
외관 ★★★★☆ (아기자기 깔끔)
내부 ★★★★★ (오두막집 같음)
커피 ★★★☆☆ (브런치가 있으면 잘 모르겠음)
냠냠 ★★★★☆ (색다른 맛은 아니었기에)
특징 ★★★★☆ (복합 예술장소인 것은 분명)

가족, 연인 모두가 좋아할 공간
<드르쿰다 in 성산>

아주 작은 지방의 놀이공원 느낌이다

자리에 앉아있는 사람들이 생각보다 없어서 신남

'드르쿰다'는 제주 방언으로 '드넓은 초원을 품다'라는 뜻이다.
사실 5년 전인가? 대전에서 <드르쿰다> 카페를 처음 만났었다.
총 3번을 갔었고 정말 이렇게 넓고 멋지게 꾸밀 수 있구나 하면서 감탄을 했었다. 그래서 카페명은 익숙했고 제주에 가면 가봐야겠다 라고 생각을 했었다. 저번에 제주 성산에 왔을 때 <아쿠아플라넷> 구경하고 지나가기만 했는데 이번에 딸과 함께 가봤다. 사실 성산점 말고 표선점3)을 보고 싶었다. 딸이 활동적인 것을 좋아하니 카트도 타고 승마도 해보고 싶어서. 하지만 일정 상 거기까지는 좀 무리일 것 같아서 성산점으로 만족했다.

사실 오래됐는지 보수가 필요한 부분들이 눈에 띠긴 했다. 그럼에도 가족, 연인 등 다양한 고객들을 흡수?하기에는 괜찮은 곳이었다. 독립되어 있는 공간에서 딸과 함께 잘 쉴 수 있었다. 사실 이 카페는 조용히 노트북을 두드리는 공간이라기보다는 사진 찍고 산책하고 바닷가로 가는 길로도 가보고. 그러는 놀이의 공간 같았다. 예전에 딸과 가봤던 애월의 <사진놀이터> 느낌이 나기도 했다. 너무나 더워서 아이스 카페라떼를 시켰는데 음, 역시 아이스는 내 취향은 아니었다. 그래도 새로운 느낌의 카페라서 좋았다.

---

3) 2024년 7월 대학교수연수가 있어서 다시 제주를 찾았고 아이들과 <드르쿰다 표선점>을 방문했다. 훨씬 더 넓은데 제주패스로 예약을 안 해서 카트도 못타고... 그래도 뭐, 가봤다.

많이 낡은 것이 눈에 띄었지만,
뭐, 새로운 곳의 경험은 좋다

　여러 곳을 왔다 갔다 하니 애월읍에 있는 <사진놀이터> 느낌
이 나기도 했다. 그래서인지 사람들이 자리에 앉아있기 보다는
여기저기 사진을 찍으며 다니는 모습이 눈에 더 많이 보이긴 했
다. 그냥 앉아서 그림 그리는 딸과 논문 쓰는 내가 좀 어울리지
않는 장소 같기도 했다. 그럼에도 갔다 온 것은 후회하지 않으

니 된 거다.

　하지만 앞으로를 위해서 이곳이 좀 더 깨끗하게 정리하고 손님을 맞이하면 좋겠다. 이번에 운행하지 않았지만 회전목마도 있고. 좀 더 보수하고 정리한다면 훨씬 더 낫지 않을까 싶다. 다른 곳과의 차별화는 분명히 있으니 이를 더 효율적으로 유지하고 운영하는 것이 필요하다는 생각이 들었다. 아이구, 이건 오지랖일 수 있다. 내 카페가 아닌걸. 뭐, 그래도 그런 생각이 들었다. 하하하

* 드르쿰다란? 제주 방언으로 '드넓은 초원을 품다'라는 뜻을 가지고 있다. 그냥 읽으면 '들을 품다'로 들리기도 한다. 개인적 생각이다.

카페주소: 제주 서귀포시 섭지코지로25번길 64
(내 기준: 제주대학교에서 54분 거리)

나의 아주~ 개인적 평가
외관 ★★★★★ (볼거리가 많음)
내부 ★★★★★ (다양한 컨셉 가득)
커피 ★★★☆☆ (맛은 영)
냠냠 오늘은 건너뜀
특징 ★★★★★ (가족 모두가 즐길 수 있는 곳)

표선해수욕장이 한 눈에, 윈드서핑의 명소
<표선하다>

진짜, 표선읍의 대표 카페다

서귀포는 왠지 좋다. 제주시보다 더 제주 같고, 제주를 자주 오다보니 좀 더 오리지널의 모습이라고 해야 할까? 뭐 개인적인 생각이다. 이번에 처음으로 표선읍을 가게 됐다. 사실 성산읍을 가는 길에 들리고 다시 공항으로 나올 때 들리려고 한 거라 큰 기대는 없었다. 그런데? 너무나 좋았다. 우선 <다이내믹 메이즈>에서 열심히 뛰어서 인상 깊었지만, 무엇보다 <제주 민속촌> 바로 근처에 있는 <표선하다>라는 카페 덕분이었다. 사실 원래 찾아 놓은 곳은 다른 곳이었다. 그런데 딸이 또 검색하더니, 여기가 마음에 든다는 거다. 그래? 네가 좋으면 나도 좋아.

그래서 갔는데 진짜 너무나 마음에 들었다. 제주 바다는 용담 쪽은 거친 바다라고 생각되고 내가 좋아하는 바다는 서귀포 쪽이다. 원래 월정리 해수욕장이 너무나 좋았는데 이번에 표선해수욕장에 반했다. 그렇게 된 가장 큰 이유가 어쩌면 이 카페일 수도 있다.4)

---

4) 그래서 그 다음에 교육 때문에 다시 제주를 찾았을 때도, 방문했다. 전날에 제주 도착해서 서귀포로 갔고 다음날 다시 제주시로 돌아올 때 여기를 다시 가서 아들에게도 이 카페의 멋짐을 보여주었다.

카페 들어가는 입구와 카페 앞 표선해수욕장 내려가는 길

    어쩌면 저렇게 예쁠까 할 정도로 너무나 예뻤다. 아니, 마음이 너무나 편해졌다. 정말 마음에 쏘옥 들었다. 그리고 제주도만의 특별한 디저트도 있고 더 여름이 되면 진짜 여러 바다 액티비티를 즐길 수 있는 곳이라 더 마음에 들었다. 정말 제주답고 와, 이 카페는 꼭 다시 가야겠구나 라고 생각하고 또 생각했다. 마음에 들어, 진짜로.

특별한 디저트와 멋진 뷰, 정말 마음에 든다

　나는, 매주 비행기타고 제주 카페에 간다

* 표선하다란? '표선 하늘과 바다'에서 한 글자씩 따서 <표선하다> 카페가 된 듯하다. 들어가는 입구 간판에 쓰여 있어서 이렇게 추측해 보는데 맞는 것 같다.

카페주소: 제주 서귀포시 표선면 표선당포로 21-3 1층
(내 기준: 제주대학교에서 44분 거리)

나의 아주~ 개인적 평가

외관 ★★★★☆ (외관이 아주 특별하진 않다)

내부 ★★★★☆ (최고다 이렇지는)

커피 ★★★★★ (커피맛 최고)

냠냠 ★★★★★ (디저트가 예술)

특징 ★★★★★ (하지만 바로 바다로 연결되는 이곳은, 환상)

사랑스런 개냥이가 반겨주는 곳, 〈팩토리소란〉

이미 들어간 순간부터 옆에 붙어 있다

밤에 잠을 못자서 인지 너무나 피곤한 상태로 학교에 도착했다. 밤에 3시간 자고 비행기 안에서도 평소보다 푹 잠들지 못했다. 그래도 강의는 펄펄 뛰어다니니;;; 그리고 나서? 또 비몽사몽간이다. 하지만 다음 강의까지 3시간 남았고 미리 찾아본 <소란팩토리>에 가자. 학교에서 가깝기도 하고 고양이들이 많다고 하니 가자.

우선 11시 오픈이라는데 내가 10시 56분 도착이었다. 불이 켜져 있어서 문 앞으로 가서 확인하니 사장님이 계셨다. 들어가도 되냐고 했더니 된다고 하셔서 차에 가서 다시 가방과 노트북 챙겨서 들어갔다. 실내에서 키우는 개냥이 한 마리가 격하게 반가워했다. 정말 손님이 나 하나여서 그랬는지 꼭 붙어 있었다.

정말 귀여웠다. 몸매가 우리 첫째 하늘이랑 너무나 비슷했다. 계속 만져달라고 다리 사이로 왔다 갔다 하며 내 손길을 30분 내내 받았다. 하지만 혼자 있으니 부담스럽기도 하고 밖에 있는 길냥이들이 신경 쓰였다. 물론 길냥이들을 위한 공간도 따로 마련되어 있었고 잘 챙겨주시는 것이 보였다. 근데 그 중에 한 마리가 심하게 아팠다. 구내염부터 온 몸이 너무나 아파보였다. 모든 길냥이들을 치료해주고 보살펴야 하는 것은 절대 아니다. 나도 그렇게 못할 테니까. 그런데 자꾸 카페 안만 들여다보며 사랑받고 싶어 하는 그 표정이 너무나 신경이 쓰였다.

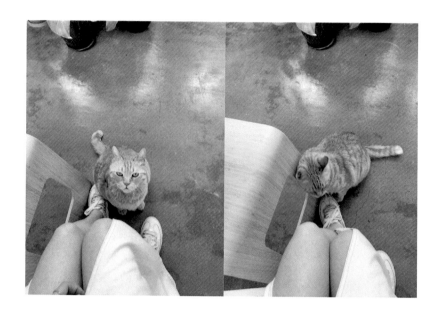

날 예뻐해라, 닝겐. 딱 이런 표정으로 붙어 있다

누구나 쉽게 책임을 갖고 내 가족이 아니었던 존재들을 챙기기 어렵다. 내가 본 냥이들만 5마리였다. 실내에 있는 냥이까지 하면 6마리. 내가 열 마리를 케어하고 있는 입장에서 정말 쉽지 않다. 게다가 아프기라도 하면 그 치료비용은 진짜 상상 이상이니까. 그 냥이가 많이 아프지 않고 버티기를 바란다. 딸이 봤다면 같이 가자고 노래불렀을 것 같다. 그래도 사람이 없이 혼자 있는 것은 정말 견디기 어렵다. 그래서 30분 만에 나와서 대규모 프랜차이즈 카페인 <할리스 제주연북로점>으로 와서 일하고 있다. 일하기에는 역시 대형카페가 좋은 것 같다. 그런데 오늘 너무나 피곤해서 정말 기절할 것 같다. 역시 잠이 보약이라는 말이 맞나보다. 아이구, 졸려라.

건물도 멋스럽고 길냥이들에게 공간을 만들어주신 것이 인상 깊었다

카페라기 보다는 아트 하는 장소 같았다

* 팩토리소란이란? 찾아보니 원래 이 동내에 큰 솔나무가 있었는데 그 나무가 쓰려져서 마을이름이 '솔 안쪽 마을'이 되었다고 한다. 그런데 이 카페가 원래 있어서 마을 이름을 '소란마을'로 지었다고 하셨단다. 의미가 있군.

카페주소: 제주 제주시 한북로 337-5
(내 기준: 제주대학교에서 4분 거리)

나의 아주~ 개인적 평가
외관 ★★★★★ (내가 딱 원하는 주택의 모습)
내부 ★★★★★ (내가 바라던 내부의 모습)
커피 ★★★★★ (역시 직접 로스팅을 해야)
냠냠 ★★★★☆ (특별 메뉴를 먹지는 않아서)
특징 ★★★★★ (평온한 분위기에, 사랑스런 냥이)

동화 속 오두막집 같은 카페 <5L2F>

동화 속 마을로 향하는 길 같다

제주시 조천읍은 제주공항에서도 갈만하고, 제주대학교에서도 갈만한 위치에 있는 최적의 장소인 것 같다. 강의 중간 시간을 보내기로 하고, 찾아 본 곳은 <5L2F> 카페였다. 사실 이 곳은 작년에도 갔던 곳인데, 그 때의 기억이 너무나 좋게 남아 있어서 다시 방문한 곳이었다. 하지만 이번에는 2층 다락방 같은 곳에 앉아 있을 수 없었다. 이미 자리 잡고 계신 분들이 있어서... 사실 자리는 있었지만 그 좁은 공간에 있기가 좀...

　정말 낯을 가리는 나는 1층 구석을 찾아 앉았다. 허나... 사장님 부부의 지인?들이 오셨는지 서로 반갑게 이야기하시며 그 소리가 공간을 채우는 순간... 난 마음의 평화?를 잃어버렸다. 중간에 끼인 느낌이고 모든 소리가 너무나 잘 들려서 어떻게 해야하나.. 싶었다. 공간이 사람의 마음을 좌지우지한다고, 2층에서는 그렇게 혼자서 좋았는데 도무지 이 열린 공간에서는 마음을 다잡을 수가 없었다.

　처음의 좋은 기분이 사라진 건 아니다. 다만 군밤을 손에 들고 생각보다 일찍 나오게 되니, 좋은 곳과 사람은 그때그때 달라질 수 있겠다는 생각을 다시 하게 되었다.

커피 향 너무나 좋고, 군밤은 작지만 알차게 맛있다

유럽의 가정집 고요한 공간 같다

* 5L2F란? 성경에 나오는 5개의 떡과 두 마리의 물고기 즉 오병이
어를 뜻한다고 합니다. '5 Loves 2 Fishes'라는 말이죠. 종교적인 의
미가 가득한 곳입니다.

카페주소: 제주 제주시 조천읍 와흘상길 30
(내 기준: 제주대학교에서 18분 거리)

나의 아주~ 개인적 평가

외관 ★★★★★ (스머프가 살 것 같은 곳)

내부 ★★★★★ (유럽 카페 내부 같음)

커피 ★★★★★ (너무나 향이 좋음)

냠냠 ★★★★★ (군밤은 못 참죠)

특징 ★★★★★ (요정이 나올 것 같은 동화 속 나라)

현대적 디자인, 예술적인 카페
<카페진정성 종점>

약간 현대식 고인돌 같기도 하고
시멘트 회색이 매력적이다

안에서 보는 뷰는 진심, 넋을 잃게 한다
이게 제주바다의 마력?인가 싶기도 하다

낮에 간 〈5L2F〉 말고 오후 강의 뒤에 무언가 새로운 곳에
가고 싶었다. 그래서 제주시 오션뷰 카페 하면 항상 등장하는
〈카페진정성 종점〉을 이제야 가볼 수 있었다. 도착했는데 강풍
이 몰아쳐서 내가 걸어가는 건지 바람이 나를 이 카페 안으로
들어가게 하는 건지 참 묘하게 들어갔다.

사람들이 너무나 많아서, 어어? 들어가지 말까 이런 생각도 들었다. 그래도 지금 안가면 이따 렌터카도 반납해야 하고 안 되겠다는 생각이 들어서, 들어갔다. 와우! 들어가지 않았으면 몰랐을 멋짐을 한 눈에 볼 수가 있었다. 이미 그 전에 군밤을 사서 먹고 있어서 디저트는 패스했지만, 뷰 만으로도 너무나 배가 불렀다.

카페의 탁 트인 창문 밖으로 보이는 저 멋진 풍경

* 카페진정성이란? 이름 그대로 모든 재료에 '진정성'을 담겠다는 의미인 것 같다. 김정온 대표는 모든 재료를 손수 만들었다니, 카페 이름과 체인점이 그렇게 많이 생긴 것은 이유가 있나보다.

카페주소: 제주 제주시 서해안로 124
(내 기준: 제주대학교에서 22분 거리)

나의 아주~ 개인적 평가
외관 ★★★★★ (미술관 그 자체)
내부 ★★★☆☆ (안은 좀 삭막해보임)
커피 ★★★★★ (감탄하며 마심)
냠냠 오늘은 건너뜀
특징 ★★★★★ (최고로 탁 트인 공간)

이호테우해변의 세련된 카페 <카페 신상>

한 눈에 봐도 세련되었다
어쩌면 주변의 오래된 카페와 비교가 돼서 그랬을지도

제주국제공항에서 가까운 해변 중 한 곳인 이호테우해변. 사실 2023년 2학기 처음 제주대학교 강의를 시작할 때 버스타고 방문했던 곳. 하지만 버스 기다리고 걸어가느라 너무나 힘들어서 제대로 구경하지 못했는데 차를 렌트하니 참 편하게 다닐 수 있어서 너무나 좋다. 이번에도 차를 세워두고 편하게 이 카페에 들어갔다.

멀리에서도 한 눈에 띄는 곳인데, 주변의 카페로 오래된 역사를 가지고 있어서 그런지 더 비교되어 눈에 띤다. 뭐랄까? 새벽돌로 쌓아서 올린 기분? 그래서 들어가니 안은 여러 가지가 복합된 느낌이었다. 약간 동남아 같기도 하고 유럽 정원 같기도 하고. 그리고 뭐 관광지의 특성이기도 한데 디저트의 가격이 저렴하지는 않다. 사실 배가 고플 때도 아니었고 곧 있으면 렌터카 반납하고 공항에서 밥을 먹을 것이었기에 카페 라떼로만 만족했다.

여러 컨셉이 섞여 있어서 볼거리도 많았다. 허나 오션뷰 쪽은 자리가 차서 옆쪽으로 앉으니 옆에 사는 도민들이 불편해해서 창문을 가렸다는 문구가 눈에 들어왔다. 그런 거 같다. 제주는 관광도시이다 보니 이런 경우가 많은 것 같다.

창밖으로 그 유명한 이호테우 등대가 보인다
뭔가 오래된 전통과 현대적인 기술이 공존하는 기분이다

　공항에 가기 전에 충분히 들릴만한 매력은 있다. 다만 디저트
는 그래도 조금 더 다른 곳보다 비싼 것 같다. 내가 구매하지
않아서 모르지만, 맛있다면 관광지니까 용인되는 것도 없지 않아
있는 것 같다. 그래도 편안히 정원까지 보고 공항으로 갔으니
만족한다.

유럽 양식을 잘 모르지만, 그런 것 같다

* 카페신상이란? 아무리 찾아봐도 딱히 특별한 의미는 없는 것 같다. 사전적 의미로는 사람의 몸이나 처신이나 숭경의 대상이 되는 신의 화상, 가을에 처음 내리는 서리 정도인데, 여기는 신상품의 '신상'이 아닌가 싶기도 하다.

카페주소: 제주 제주시 테우해안로 144 1~3층
(내 기준: 제주대학교에서 22분 거리)

나의 아주~ 개인적 평가
외관 ★★★☆☆ (모던하지만 다른 곳과 큰 차이가 없어서)
내부 ★★★★☆ (다양한 컨셉 존재)
커피 ★★★★☆ (그냥 라떼)
냠냠 조금 비싸서 건너뜀
특징 ★★★★☆ (아주 특별하지는...)

선물로 딱이야, 반할 모양새
<섬타르 제주공항점>

시선을 사로잡는 모양새

진심 하나 이상 살 수밖에 없다

오늘은 강의 마지막 날이다. 다음 주면 기말고사니 강의는 정말 이번 학기 끝이다. 우선 정한 기말고사 시험범위도 있고 해서 공지한대로 조별 활동은 하지 않고 강의만 진행했다. 마지막 날이니 시험에 대해서 궁금하기도 할 것 같아서 빠지지 않을 것 같은데, 요즘 학생들은 다른 것 같다. 원래 빠지지 않던 학생도 결석하고... 음, 그래도 난 내 할 일에 최선을 다해서 마무리했다. 오전 강의를 끝내고 오늘은 3시간의 공강을 좀 더 움직여보자 했다. 그런데, 이런 비가 내렸다. 한라수목원 거닐다 근처 카페에 가려고 했는데 내 계획이 다 어긋났다. 뭐, 그래서 예전에 찾아 봤던 공항 근처 카페를 찾았다. 선물할 무언가 근사하게? 남을 것 같은~ 그런 카페 검색해서 찾았다.

<섬타르 제주공항점>는 대형 카페는 아니고, 원래 선물이 위주인 곳인거 같았고 카페 안이 넓지 않아서 앉아 있을 생각은 없었다. 그리고 곧 오후 수업이 기다리고 있어서 선물용으로만 사서 가자 싶었다. 세 종류의 세트 중에서 두 개를 구매했다. 타르트는 예린이가 좋아하기도 하고 너무나 예뻐서 기분 좋게 구매하고 신나게 학교로 갔다. 사실 배가 아프기도 해서 학교 가서 오후 강의 전에 쉬고 싶었다.

정말 선물 사러 가야 할 곳
물론 안에 앉을 자리도 있다

　정말 동네 작은 카페였다. 아기자기하기도 하고 아늑한 공간이
있는 곳. <오늘제주>처럼 특색 있는 상품이 있어서 정말 선물로
딱이다, 이런 생각이 들었다. 나도 정말 선물만 사고 나왔으니까.
공강에 잘 움직였다 싶었다.

너무 색이 곱다. 어떻게 먹지?

일반 타르트와 달라서 맛도 좋았다

* 섬타르란? 말 그대로 '제주도의 섬'과 '타르트'가 합쳐진 말이다. 단순하면서도 기억하기 좋은 의미라 좋은 것 같다. 제주도 특유의 재료를 넣어서 만들어서 더 특색 있다.

카페주소: 제주 제주시 다랑곳1길 9 1층
(내 기준: 제주대학교에서 16분 거리)

나의 아주~ 개인적 평가
외관 ★★★☆☆ (그냥 작은 카페)
내부 ★★★☆☆ (조그마한 곳)
커피 이미 마시고 가서 안 마심
냠냠 ★★★★★ (타르트 예술)
특징 ★★★★★ (진정 타르트를 좋아하신다면 꼭)

자연이 함께 하는, 교래의 그 곳
<제주 여누카페>

스테이가 함께 있어서 그냥 여기에서 푹 쉬어도 될 듯

제주에 와서 처음으로 사려니숲길을 가봤다. 예전에 삼성혈에서 정말 오랜 나무를 느끼고 자연의 신비에 감동했었는데, 이번에는 대규모 숲에 놀라고 또 놀랐다. 무료로 입장 가능하니 아마도 공항 가기 전에 많이들 들리는 곳인 것 같다. 뭔가 영적인 존재가 나올 것 같기도 하고 약간 음습하기도 한데 그래서 더 좋았다. 신비롭다 이 생각이 가장 많이 들었는데 혼자라 왠지 외로움이 느껴질 정도로 사람이 많아서 한 바퀴 빨리 돌고 근처에 검색해두었던 <제주 여누카페>로 향했다.

 사려니숲길에서 멀지 않은데 주변에 뭔가 없고 동떨어진 느낌의 곳에 위치해있었다. 스테이를 같이 해서 인지 주차하고 들어가며 그 앞으로 지나가니 규모가 더 크게 느껴졌다. 안으로 들어가니 카운터 옆에 제주 소품도 팔고 있었다. 난 주문하고 복층 같은 2층에 자리를 잡았다. 내가 좋아하는 창문 옆으로 정말 제주의 자연이 확 펼쳐져있었다. 진심 힐링되는데 벌레들이 하하하. 그래도 라떼와 소금빵은 배고픈 나에게 힘이 돼 주었기에 벌레들 쯤이야 싫었다.

 교래쪽으로 온다면 한 번 더 들리고 싶고 스테이도 해본다면 좋을 것 같다. 그냥 힐링은 이거다 싶은 느낌? 자연이 정말 함께 하는 곳이었다.

붉은 벽돌이 초록색 자연과
잘 어우러지는 곳

창밖으로 펼쳐진 공간. 시간만 되면 산책도 가능

* 여누란? 다양한 사람들이 모여 공간을 만드는 곳이라는 뜻이랍니다. 그렇게 명명해서 그런 거 같고 자체로 특별한 의미는 없는 것 같다. 내 생각입니다.

카페주소: 제주 제주시 조천읍 남조로 1842

(내 기준: 제주대학교에서 20분 거리)

나의 아주~ 개인적 평가

외관 ★★★★☆ (스테이랑 같이 있어서 크다)

내부 ★★★★☆ (창밖으로 보이는 자연)

커피 ★★★☆☆ (기억은 잘 안남)

냠냠 ★★★☆☆ (배고파서 먹은 소금빵)

특징 ★★★★★ (자연 속 쉼터)

모던한 오션뷰 카페
<바이러닉 에스프레소 바>

흐린 하늘과 더 잘 어울리는 곳

제주대학교 기말고사 날이었다. 채점도 해야 하고 좀 더 제주를 느껴볼까 하고 바다가 보이는 카페를 가기로 했다. 어디로 갈까 고민하다가 결정한 카페는 <바이러닉 에스프레소 바>이었다. 사실 이름이 입에 붙지 않아서 어디라고? 하며 보고 찾아서 간 카페였다. 도착하니, 약간 <카페진정성 종점> 같은 느낌이었다. 대형카페에 사람도 많고 약간 회색 톤의 우중충함? 그런데 들어가니 느낌은 전혀 달랐다. 이곳은 '블랙'이었다. 내가 좋아하지 않는 카페의 색이었다. 하지만 이조차도 바다와 만나니 참 모던하고 멋지게 느껴지는 거다.

배가 고프기도 했고 라떼와 함께 디저트를 구매하기로 했다. 랑그드샤는 내가 좋아하는 과자라 같이 샀는데, 정말 맛있어서 다 먹었다. 사실 남겨서 가져가려고 했으나 배가 고팠다. 제주의 대형카페 디저트들이 다 가격대가 있어서 가격대비 그만한 가치가 있나 싶었으나, 맛있었다. 그러면 된 거다.

그리고 눈앞에 펼쳐지는 환상적인 뷰는 그 무엇과 바꿀 수 없으니 이러니 사람들이 좋은 곳에 여행을 가면 지갑이 열리는 것 같다. 진심 좋았다. 2024년 1학기 제주대학교 강의에 방문한 카페로 훌륭한 마무리였다고 본다. 그러면 된 거지. 그으래.

참 좋다. 2층에서 찍은 풍경

랑그드샤. 맛난다. 하지만 다시 사먹진 않겠지

나는, 매주 비행기타고 제주 카페에 간다

* 바이러닉이란? 'byronic'은 '바이런식의, 비장하면서도 낭만적인'이란 뜻을 갖고 있다. 바이런 경은 영국의 시인, 작사가, 정치인 등 다양한 작업을 하신 분으로, 낭만주의 문학을 선도했던 인물이다. 음, 뭔가 더 매력적으로 보이는 군.

카페주소: 제주 제주시 테우해안로 96
(내 기준: 제주대학교에서 22분 거리)

나의 아주~ 개인적 평가

외관 ★★★★★ (모던함의 끝판왕)

내부 ★★★☆☆ (블랙톤이 너무 가득해서)

커피 ★★★★★ (음, 향 최고)

냠냠 ★★★★★ (맛있다)

특징 ★★★★★ (디자인 최고상)

제주 카페, 어디까지 가봤니?

그래도 사진을 찍을 여유가 생긴다

제주대학교를 강의하며 장단점은 존재한다. 사실 너무 피곤하
다. 제주도에 가 있는 동안은 힐링 그자체이다. 하지만 당일에
왔다 갔다 하니 다음날에는 녹초가 된다. 내 저질 체력은 항상
나를 기절하게 만든다. 그리고 나니 일이 많은 주에서는 온 몸

이 돌덩이가 된 것 같다. 그럼에도 제주도에서는 나를 쉬게 한다. 제주도의 나무, 풀, 그리고 바다. 이 모든 것들이 나에게 힘을 준다. 참 아이러니이긴 한데 그래서 한 학기 하고 그만 둬야지 하니, 모든 계절을 느껴봐야 하니 한 학기 더 하자 이러고 난 또 다음 학기를 준비 중이다. 첫 학기에는 청주에서 제주까지의 이야기였다. 강의가 2시간뿐이 없으니, 나는 곳곳을 참 많이도 구경했다. 그 다음 학기는 4시간이고 중간에 시간이 비니 멀리는 못가고 제주도 카페를 투어하게 되었다. 그리고 사실 다음 학기는 6시간이라 시간이 없다. 그런데 난 또 무슨 일을 벌일 꺼다. 학기 당 한권의 책을 집필하고 세 번째 학기로 강의를 하면 총 3권의 책이 완성되는 거다. 무슨 이야기를 담아낼까? 아직은 잘 모르겠지만 내 스스로 너무나 기대가 된다. 난 쉬고 싶은데 쉬지를 못한다.

음, 또 다른 제주도 카페를 찾을 꺼다. 그래도 또 제주도 카페 이야기를 책으로 출판하지 않을 테니 무슨 이야기를 담을까? 자연의 이야기? 내려오는 민담? 벌써 기대가 된다. 제주대학교와 연관된 이 두 번째 책. 제주 카페는 그대로 유지되는 곳도 있을 테고 리뉴얼되기도 할 테고 새로운 카페가 나오기도 할 테고. 그럼 내 책 속의 내가 간 카페는 그 때의 기록이니 의미가 있으니까. 또 내 글을 읽고 그 카페를 찾을 수도 있으니까.

난 정말 혼자 있는 것을 좋아한다. 그래서인지 강의할 때 내 모습은 딸 말로 전하면 "미친 것 같다". 음~ 아무래도 내 강의라 최선을 다해 평소보다 100배 업하는 것 같기도 하다. 그래서 강의하기 전이나 강의가 끝난 후에는 혼자 있는 시간이 절실하다. 에너지가 다 소진이 되었기 때문이다. 이런 나에게 제주의 카페는 정말 힐링 그 자체이다. 물론 내가 사는 청주 오송에서도 주변 카페에 많이 간다. 그래도 제주 카페의 매력은 포기 못하지! 다음 2024년 2학기에는 어디를 갈까?

제주의 바다. 사랑한다.

제주의 바다와 숲 자연이 함께 하는 제주의 카페.

또 만나.